J'appr
à l
avec Sam
CW00401132
Bonne fête
Papa !
Emmanuelle Massonaud
ZZz
BONNE
hachette
ÉDUCATION

Zzz

Avec Sami et Julie, lire est un plaisir !

Avant de lire l'histoire

- Parlez ensemble du titre et de l'illustration en couverture, afin de préparer la compréhension globale de l'histoire.
- Vous pouvez, dans un premier temps, lire l'histoire en entier à votre enfant, pour qu'ensuite il la lise seul.
- Si besoin, proposez les activités de préparation à la lecture aux pages 4 et 5. Elles permettront de déchiffrer les mots les plus difficiles.

Après avoir lu l'histoire

- Parlez ensemble de l'histoire en posant les questions de la page 30 : « As-tu bien compris l'histoire ? »
- Vous pouvez aussi parler ensemble de ses réactions, de son avis, en vous appuyant sur les questions de la page 31 : « Et toi, qu'en penses-tu ? »

Bonne lecture !

Couverture : Mélissa Chalot
Maquette intérieure : Mélissa Chalot
Mise en pages : Typo-Virgule
Illustrations : Thérèse Bonté
Édition : Laurence Lesbre
Relecture ortho-typo : Jean-Pierre Leblan

ISBN : 978-2-01-701348-8

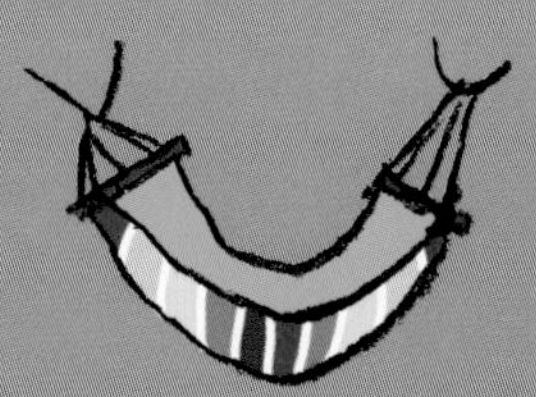

Les personnages de l'histoire

1. Montre le dessin quand tu entends le son (a) comme dans P<u>a</u>pa.

 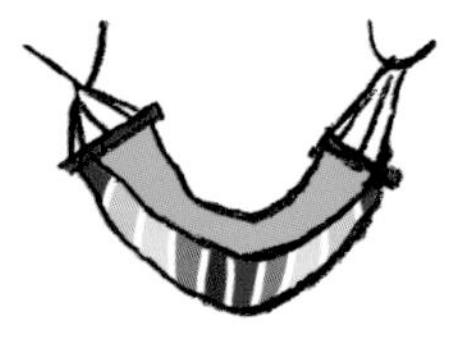  

2. Montre le dessin quand tu entends le son (r) comme dans <u>r</u>epas.

3. Lis ces syllabes.

ap pa re bo ne si

es te di pa li so

4 Lis ces mots-outils.

5 Lis les mots de l'histoire.

sieste

repas

somnole

rêve

surprise

frise

– Après le repas :

une bonne sieste !

dit Papa.

Papa lit.

Tobi somnole.

Sami et Julie

préparent une surprise.

Papa dort.

Tobi rêve.

zZZZZ
Z
Z
ZZZ

Pas un bruit !

Sami et Julie terminent

la frise.

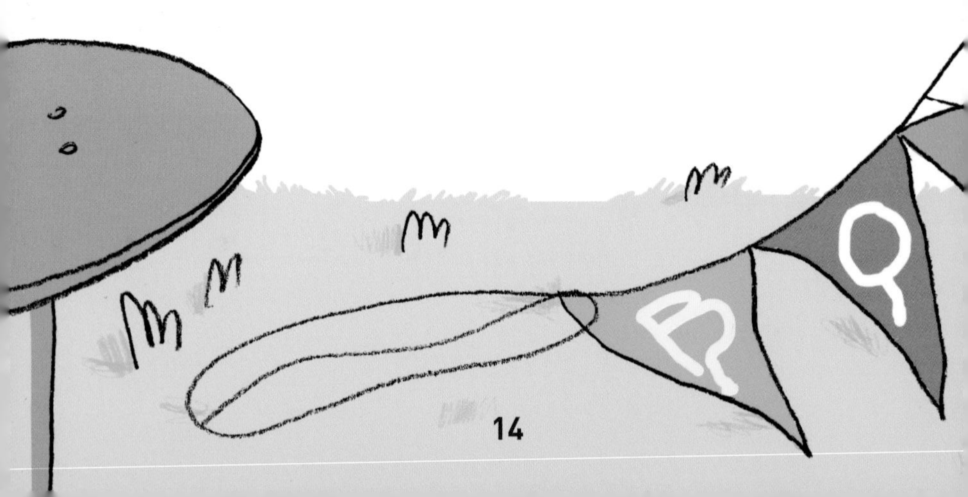

– Attrape la frise Sami !

murmure Julie.

– Pas là ! Plus bas !

murmure Julie.

PAPA ADORÉ

Là ! Bravo !

– Admirable !

Votre frise est très réussie,

dit Maman.

PAPA ADORÉ
ZZZ
ZZZ

Papa s’étire.

PAPA ADORÉ
Hi Hi Hi !

Papa a fini sa sieste...

1, 2, 3…

SURPRISE !

PATATRAS !

Bonne fête Papa !

AAF

As-tu bien compris l'histoire ?
BONN
1 Que fait le papa de Sami et Julie cet après-midi ?
zZz
2 Qui l'accompagne ?
3 Qu'est-ce que Sami et Julie préparent pour la fête des pères ?
BONNE FÊTE PAPA
4 Pourquoi ne font-ils pas de bruit ?
5 Pourquoi le père de Sami et Julie tombe-t-il ?

Et toi, qu'en penses-tu ?
Qu'as-tu offert à ton papa pour la fête des pères ?
Papa
Est-ce que tes parents font parfois la sieste comme le papa de Sami et Julie ?
Zzz
As-tu déjà préparé une surprise pour tes parents ?
À ton avis, est-ce important d'avoir un jour spécial pour les papas ? Pourquoi ?

Achevé d'imprimer en Espagne
par UNIGRAF
Depôt légal : Août 2017
Collection nº 12 - Édition 01
74/2210/1